CHRISTMAS WORD SEARCH

Christmas 1

```
C H O L I D A Y E R N I L V J H
H S Y M B O L I S M G H X M B R
R D R U G L S E X Q I I A O W C
I B Z H T K V C V Q R H A T R H
S L K Z O O Z D T G I E B I B R
T J N G L M Y A N X I J B G L I
M G V N E Q E I A K I H N V I S
A T B T O S F E O M K N F P T T
S K I U O F A O C Z D U I M Z M
C A X N U H C G R E E N S K E A
A E V T Y Y S S J H L M Z N N S
R L S D K T U H N S J S R X S T
O G N F M Q I V T G W E D R X I
L M L B K K I M Y I I H G E L D
Q J Q S O G H A R B O W K E L E
M M K I C L Y E H F Z J G V V P
```

BLITZEN
CHRISTMASTIDE
HAM
STUFFING
TINY TIM
COOKIE
LOVE

CHRISTMAS CAROL
GREENS
HOME
SYMBOLISM
BOW
HOLIDAY

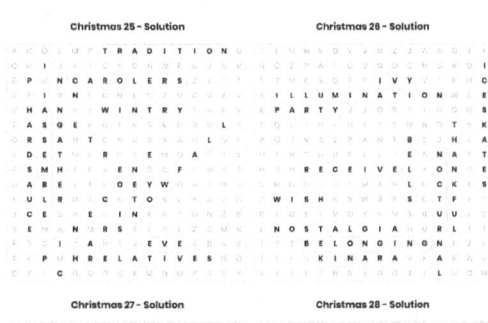

Christmas 25 – Solution

Christmas 26 – Solution

Christmas 27 – Solution

Christmas 28 – Solution

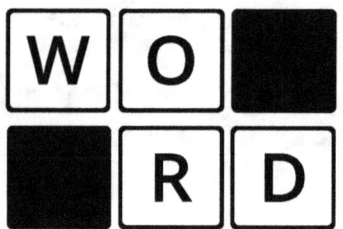

Christmas 1

```
C H O L I D A Y E R N I L V J H
H S Y M B O L I S M G H X M B R
R D R U G L S E X Q I I A O W C
I B Z H T K V C V Q R H A T R H
S L K Z O O Z D T G I E B I B R
T J N G L M Y A N X I J B G L I
M G V N E Q E I A K I H N V I S
A T B T O S F E O M K N F P T T
S K I U O F A O C Z D U I M Z M
C A X N U H C G R E E N S K E A
A E V T Y Y S S J H L M Z N N S
R L S D K T U H N S J S R X S T
O G N F M Q I V T G W E D R X I
L M L B K K I M Y I I H G E L D
Q J Q S O G H A R B O W K E L E
M M K I C L Y E H F Z J G V V P
```

BLITZEN	CHRISTMAS CAROL
CHRISTMASTIDE	GREENS
HAM	HOME
STUFFING	SYMBOLISM
TINY TIM	BOW
COOKIE	HOLIDAY
LOVE	

Christmas 2

```
O E D D Q B O F C B J X X S I P
Y A G O O D W I L L R H Q C M S
U S A D E S T E F I D E L E S C
H N J U P H O P E J D N A Z M T
H K I B A R L E W N W T G K G J
R Y M V G T E I K B S J O T G Y
Q V D M E U I D G L C Q Z O C M
Y A L T A R J N E H H V L I E P
J I Q I N L S M S O T E E O D R
O U Z L T T A A D E L I V D P I
F X V T R C X N L U L Z N U Y E
X H D U Y H Q U Y K D X M G P S
M U Y O X K P T K I V L Z M F T
M C Y V W C W S L X H O F F L S
O M V I E R I C O M E T H S D G
J A C Z Y W X X S X W P S R J R
```

ADESTE FIDELES   CAMELS
COMET   LIGHTING
NUTS   PAGEANTRY
PRIEST   UNIVERSAL
GOODWILL   HOPE
RED   TINSEL
YULE LOG

Christmas 3

```
A C H R I S T M A S E V E A V G
I R M U U I F F X A G S Q G L A
G E I Z I T T R Y Q X M A S S D
X A T L E O S T U W K K D W P V
F J T Y H T Z M R I R U E U H E
Q N E G X D X P L I T E Y R P N
F U N Z S L Z O T Y M C A A P T
N H S M I D N I G H T M A T J C
D E C E M B E R P L F A I K H A
P I Q A G Y A N I R H N C N E L
J S X V O F B A W R I D S S G E
F G N N Y D S O P X B D S V Y N
G G K U P S N A V S D E E B L D
P S N Q A W D I B X V S X D Q A
L Y L W B I C D Q X E L G C U R
A M U X G Y M U S I C B O X A G
```

ADVENT CALENDAR	CHRISTMAS EVE
DECEMBER 25	MIDNIGHT
MUSIC BOX	PRIDE
XMAS	FRUITCAKE
MITTENS	TRIMMING
WASSAIL	WREATH

Christmas 4

```
Q Q M E P F C V A Q H V V A L X
J N E P R H T T X E U R I F N J
W I C W X K E Q U B V T Q I C M
M A X O G C V A H X T J Y L H X
I M G R B H T M R E J U E G R C
H V F S E I A Q S T Q T P S I H
U W T H Q L P N G J I Q G C S R
E X D I D D I P O S R T P E T I
D M V P X O Q Y I E G B P N M S
F T M P P U Z V K S S H P T A T
E E Q D G R E E N O X N U S S I
A K R S L H X B D C Q L F C C A
U G C V A W H C C K S T U O A N
Q O N K O U H Y O S K X L H R S
S H N E A R C Z V Z S T A R D P
E D P Y X T N E F L G M U C F O
```

CHILD   CHRISTIAN
CHRISTMAS CARD   FERVOR
HEART   SAUCE
SCENTS   WORSHIP
GREEN   POINSETTIA
SOCKS   STAR
VISIT

Christmas 5

```
Q  J  Y  U  I  J  Q  J  X  R  B  S  A  M  E  O
X  G  L  L  A  K  A  R  L  C  K  U  K  S  D  P
B  H  D  T  W  A  E  M  O  T  G  R  N  A  W  O
L  N  A  U  A  G  C  K  S  D  Z  P  F  N  R  P
G  B  Y  B  N  D  N  E  E  M  P  R  E  T  A  C
N  J  M  A  T  Q  U  L  U  H  A  I  L  A  P  O
O  G  M  Q  Q  G  S  O  P  G  S  I  S  P  R  R
R  R  I  X  P  E  Y  U  B  Z  E  E  Z  W  I  N
T  A  K  V  E  C  O  X  Z  R  A  S  N  O  N  S
H  V  L  J  M  B  H  V  A  L  N  O  A  R  G  T
P  Y  I  K  S  K  F  D  U  I  T  I  V  K  P  R
O  W  K  C  W  T  Z  D  H  G  I  V  I  S  A  I
L  P  J  C  O  I  R  H  L  H  Y  V  D  H  P  N
E  Q  R  W  J  Y  J  G  N  T  S  P  A  O  E  G
V  B  U  A  X  F  J  N  N  S  R  D  D  P  R  R
I  A  C  B  B  E  D  G  D  F  W  T  C  Y  L  U
```

FELIZ NAVIDAD
NORTH POLE
SURPRISES
GUEST
MANGER
POPCORN STRING
WRAPPING PAPER

GRAVY
SANTA'S WORKSHOP
BOUGH
LIGHTS
PAGEANT
SLED

Christmas 6

```
B  Y  D  U  L  L  Y  H  Z  X  P  I  I  Y  N  G
P  S  U  G  A  R  P  L  U  M  P  Q  S  I  X  T
H  W  W  N  Y  L  Y  M  K  R  A  M  P  U  S  H
O  W  R  I  O  O  F  V  M  X  G  W  P  C  J  O
T  T  Q  D  T  B  O  P  F  H  R  J  Q  H  U  T
C  U  U  Z  J  C  N  N  Q  R  Y  H  H  I  Y  C
I  R  K  E  O  T  B  F  U  D  G  Y  Y  I  J  H
D  U  C  L  J  B  J  E  N  D  I  L  V  E  T  O
E  Y  S  C  A  P  F  A  T  C  X  S  A  K  L  C
R  P  Q  O  B  R  C  A  C  H  A  L  L  K  T  O
Y  I  P  S  G  N  V  H  M  B  L  R  N  M  D  L
H  N  K  K  N  W  D  M  C  I  B  E  I  X  D  A
G  N  O  I  K  A  T  Y  N  C  L  C  H  N  B  T
H  L  R  J  R  J  S  A  D  O  F  Y  C  E  G  E
Z  T  V  T  F  R  V  F  C  F  L  J  U  Z  M  D
M  H  R  S  A  I  N  T  N  I  C  H  O  L  A  S
```

BETHLEHEM	CARING
KRAMPUS	RUDOLPH
SAINT NICHOLAS	VANILLA
CANDY	CAP
FAMILY	HOT CHOCOLATE
HOT CIDER	SUGARPLUM
TOY	

Christmas 7

BAKING
NOEL
PRANCER
CEREMONY
FESTIVAL
FRIENDS
HOLLY

FATHER CHRISTMAS
NUTMEG
SPICES
CRECHE
FIREWOOD
GINGERBREAD WOMAN

Christmas 8

```
P  M  Q  M  K  Q  Y  Q  R  K  R  T  Y  D  R  G
T  B  V  U  X  F  A  T  F  B  W  G  N  Z  L  C
Z  D  A  N  C  E  R  T  I  R  K  X  Y  E  G  E
L  H  B  Y  I  G  Y  O  S  J  U  A  G  T  E  L
I  W  I  S  H  E  S  G  H  J  B  N  I  T  S  E
O  P  C  H  N  H  N  E  O  Q  A  X  P  I  O  B
Z  B  V  R  S  E  J  T  P  L  S  R  L  D  L  R
A  V  U  K  V  P  A  H  P  Z  U  X  Z  I  Z  A
R  O  F  O  H  Q  Z  E  I  S  B  P  Z  N  W  T
J  B  B  W  C  V  F  R  N  N  T  E  L  G  M  I
L  V  I  W  L  G  O  N  G  S  Y  N  Y  S  D  O
A  J  R  U  L  L  H  E  Y  S  H  A  I  Q  A  N
N  Z  T  R  C  A  H  S  J  R  U  Y  D  C  F  W
V  A  H  Q  K  X  E  S  R  R  X  B  B  Y  K  I
K  U  N  W  R  A  P  Y  N  S  K  E  C  F  W  H
H  Y  A  D  N  C  M  B  W  R  D  L  E  B  W  E
```

DANCER

SHOPPING

ANGEL

CELEBRATION

OVEN

TOGETHERNESS

WISHES

JOURNEY

ST. NICK

BIRTH

MYRRH

TIDINGS

UNWRAP

Christmas 9

```
Y G L T I T V Y L C H N V L M J
I A M C S E R V T A E Y U L E Q
N O U G O Q W Z S G K G L E M O
W F I O C R F I A D X D O I O K
T U P T K E N K N R E I A M R R
C M V S P Z C U L T R G C D I H
I O H T A A X C C U E E H I E C
X G Y E P W T X V O L R N G S H
B C G U G E S Q E U P T V X G I
G K A S L S F W Y C C I I Z K M
X A D S Y G M U S I C A A X B N
M M E S S A G E S H N G R W G E
Q N S E C R E T S A N T A V D Y
Z S T O C K I N G S T U F F E R
O R E F L E C T I O N F C J F S
Y E E N L Y G O D A X N W T L M
```

CARVE	CORNUCOPIA
MEMORIES	MESSAGES
MUSIC	REFLECTION
CHIMNEY	PACKAGE
SECRET SANTA	STOCKING STUFFER
WINTER	YULE

Christmas 10

```
E  X  U  A  G  E  F  K  W  J  P  R  A  Y  E  R
I  S  B  J  Y  V  K  S  Z  T  F  Z  U  Z  D  C
E  D  U  J  X  K  R  U  A  B  F  S  O  N  S  W
V  O  I  A  C  Q  M  N  Z  C  V  A  A  Y  I  V
S  N  O  L  O  G  B  E  X  F  K  L  L  G  C  Y
E  A  D  J  B  N  G  N  U  F  T  U  P  C  I  K
Z  T  Z  H  A  O  S  S  A  R  E  K  X  Q  C  S
O  I  F  M  O  V  O  C  A  U  Y  B  V  L  L  N
X  O  Q  R  J  W  G  E  M  V  G  H  T  V  E  L
A  N  C  J  T  B  H  Y  A  C  T  H  S  S  Y  M
Q  S  H  E  A  V  E  N  L  Y  K  V  T  B  Q  A
G  R  Z  E  E  O  W  R  A  P  S  Q  H  Y  T  K
L  T  Y  D  H  R  E  I  N  D  E  E  R  O  I  Z
M  W  D  T  A  F  M  N  J  A  O  A  R  C  U  S
F  A  W  I  N  T  E  R  T  I  M  E  U  I  F  B
P  F  S  W  O  F  F  I  C  E  P  A  R  T  Y  H
```

DONATIONS	HEARTLAND
HEAVENLY	PRAYER
SACK	SCROOGE
ICICLE	LOG
NAUGHTY	OFFICE PARTY
REINDEER	WINTERTIME
WRAP	

Christmas 11

```
I  B  W  I  Z  O  K  W  S  P  K  J  A  A  R  C
V  G  C  C  H  H  F  P  R  B  Y  Z  T  G  U  E
U  L  A  K  H  U  B  F  K  I  S  J  F  H  I  B
S  G  S  T  O  G  P  M  Z  N  B  W  B  Y  P  E
G  O  A  Z  H  H  I  S  Q  N  Q  B  F  U  I  N
K  Q  N  H  Y  E  G  G  N  O  G  I  O  N  G  E
P  F  T  B  S  H  R  E  F  O  N  G  S  N  J  Z
H  G  A  V  G  W  C  I  L  U  Q  H  D  K  S  E
O  U  S  Q  T  Y  R  H  N  T  F  V  E  G  P  R
V  M  E  C  B  X  X  S  U  G  R  W  U  O  G  S
V  K  L  W  G  G  L  P  O  R  A  A  S  W  E  C
Z  T  V  W  Q  D  W  H  D  J  C  X  V  F  X  R
F  Y  E  E  F  C  T  C  E  B  O  H  S  E  M  O
N  W  S  X  I  N  F  A  N  T  R  L  P  V  L  O
R  P  C  J  I  N  G  L  E  B  E  L  L  S  S  G
Z  A  P  F  K  A  B  O  F  W  Y  Z  S  Y  R  E
```

AWE   CHURCH
EBENEZER SCROOGE   GATHERING
INFANT   SANTA'S ELVES
TRAVEL   UNIFY
EGGNOG   HUG
JINGLE BELLS   JOLLY
RIBBON

Christmas 12

```
S  E  A  U  J  U  S  B  Z  E  N  R  B  Q  A  S
Y  O  I  W  D  Z  D  E  C  A  B  K  P  Z  G  P
K  U  I  A  T  P  W  A  N  D  Y  S  M  N  Y  E
Y  H  C  P  J  H  L  E  N  D  Q  E  I  H  M  W
F  R  Y  F  U  P  A  A  I  P  I  S  K  Y  B  U
P  K  Z  G  E  G  L  P  O  C  S  N  T  M  U  X
B  M  S  R  B  R  E  G  P  E  D  F  G  P  X  V
G  F  I  M  A  F  N  L  L  Y  M  O  G  Z  O  A
M  F  H  G  E  B  F  B  S  N  O  W  D  I  D  L
O  J  V  O  L  U  N  T  E  E  R  Y  I  Z  V  U
G  A  A  R  E  J  O  I  C  E  M  X  O  F  U  E
C  O  M  M  U  N  I  T  Y  B  S  O  I  O  O  S
O  S  N  O  W  B  A  L  L  A  Q  S  G  D  A  B
L  I  T  T  L  E  D  R  U  M  M  E  R  B  O  Y
Y  O  E  X  N  X  U  L  G  P  Z  G  L  W  F  T
B  C  O  Q  Q  M  V  M  L  O  T  J  V  V  I  D
```

BLESSINGS   COMMUNITY
LITTLE DRUMMER BOY   SENDING
VALUES   VOLUNTEER
FIREPLACE   GARLAND
GIVE   HAPPY
REJOICE   SNOW
SNOWBALL

Christmas 13

```
C D S M K R I S K R I N G L E I
Z C F R A N K I N C E N S E Q K
T X E G O U R M E T C G A Z I N
A D A N C I N G P H E U Q T O C
R N X L M L S Q G T B S H I F Q
P N S R G S E N S D U E T S S H
T S X O N Y I F Y E I A O G N Z
D B X D N L O E B J I S N K U J
J F W D K G Y Y C L P I P A K Q
B U L N R S S S I M K X V L C D
U K I V H G L C Y G H G U H A J
O T Q T W L N P E I P N L W M Y
Z L C W O O Y H J S R K Y S C P
C Z K D C E W X A G R I N C H C
W I S E M E N D P R U T R E E W
S B R G P C N Q A F V R R M N W
```

DANCING
GOURMET
KRIS KRINGLE
SONGS
DISPLAY
KINGS
WISE MEN

DOLLS
GRINCH
RECONCILIATION
TINKLING
FRANKINCENSE
TREE

Christmas 14

```
C F G R A C E O G S I U Y A Y N
W Y T O H R S K R K A G U Y L A
E L L H D V E P I G L T S R L Y
H P T K Y E A L N S S Z R H R C
I O I W D O C I I O S E F G A I
F I O I I T V O H G K E V H M M
D N L Y H I P S R C I N S R A A
S A W B G R D T A A W O T R G D
I M R T M R F R B N T O N L E P
P M F Z N I C H O S D I B G H A
O I A J G T S S E G V I O P Y F
G J K N U L I V H F K Z K N H Z
O X F N B N R P W T U O Q N S Z
A K N T E A Z C T P Z J L J D T
S R O V H N C A T A L Y S T R D
C A K C H R I S T M A S P A S T
```

CATALYST   CHRISTMAS PAST
GRACE   HARVEST,
HOST   KISSES
RELIGION   VENISON
DECORATIONS   GIFT
GIFT-GIVING   NUTCRACKER
SNOWY

Christmas 15

```
W  J  O  B  S  E  R  V  A  N  C  E  A  C  K  R
F  X  G  U  D  Y  D  N  K  M  E  R  R  Y  S  G
I  E  K  Y  S  J  M  I  S  T  L  E  T  O  E  E
D  C  J  Z  N  X  U  E  X  R  Q  N  F  D  H  U
D  R  P  N  L  O  C  U  W  L  N  Q  N  P  E  D
V  A  O  A  A  X  U  X  G  S  G  E  F  C  K  Y
K  N  P  F  S  T  Z  Y  I  N  E  G  Q  O  C  Y
N  B  S  F  B  L  I  G  S  R  N  G  U  M  O  V
F  E  K  L  I  T  J  V  G  J  E  S  U  S  E  J
S  R  A  A  V  H  M  R  I  Y  X  Z  K  C  E  Y
A  R  T  F  Y  P  E  B  F  T  Y  L  A  Y  P  Y
L  I  E  C  Z  V  N  U  Z  A  Y  E  Z  C  H  V
E  E  I  P  E  R  I  W  P  A  P  T  V  G  Y  P
S  S  H  J  H  O  S  T  E  S  S  F  Q  O  K  A
J  G  R  U  V  J  C  H  E  S  T  N  U  T  S  D
H  I  C  N  R  D  W  B  J  X  R  L  L  Y  T  L
```

CRANBERRIES   HOSTESS
JESUS   OBSERVANCE
PEACE   CHESTNUTS
EVERGREEN   ICY
MERRY   MISTLETOE
NATIVITY   SALES
SKATE

Christmas 16

```
Z Z Z F I L J U C E P A I Q P Y
N R S Z K Q C K F R D K B E A O
F O M T V M A L I X R A B Y N R
E O D Y B J R L B D E C A M T K
S F N O P Z D U F G R U L N I S
T T S N D O Y B H X T S S N C H
I O R C H E R I T A G E A C I I
V P X I A B O O T S D I M Q P R
E F J W K R T R S W R Q V X A E
Y P H A B S F E Q P E F I P T P
F P X G A I V G L V P L H Z I U
H T O E E O Q D D L K U V B O D
R S F B L C I S P C U V Y E N D
L C V C Z O S O U C N T Z Y S I
B A T M W R D C H I L D R E N N
B L K B B T I L V I W O Z Q R G
```

ANTICIPATION

BALSAM

CHILDREN

CLOVES

HERITAGE

ROOFTOP

YORKSHIRE PUDDING

BOOTS

CARD

ELVES

FEAST

FESTIVE

SCARF

Christmas 17

```
R P A P F H L A U G H T E R Q J
E S U N Q Q R O T S S E A S O N
J V T M K G E S I G C A T M V X
W H B A P L H O T I T Y P E D T
A C U P R K A F A A M H P R P B
U B A M M O I D J L B B F R L C
D U C K I P F N J F Z L A Y D H
W K W U B L U D P F R K E C P N
D K N H X Q I R A I K R E H D P
Q Q Z C D T O T I V E R G R V X
K H G X F X O T Y T I Z P I X R
V Z Q O S G Z V R I Y D Z S B T
R G H S O R M D D I A D Y T W R
F S Y H X P F W Y X P O C M J T
Y C O B O G E J Z H J S K A C G
S P E W O R S H I P E R W S F K
```

DUCK	HUMILITY
LAUGHTER	MERRY CHRISTMAS
PUMPKIN PIE	PURITY
STABLE	STAR OF DAVID
WORSHIPER	JOY
SEASON	TRIPS

Christmas 18

```
H  F  F  H  P  F  A  F  Y  U  Z  E  P  U  E  Q
V  N  C  S  V  U  A  T  M  A  I  F  O  R  D  Q
T  S  S  E  A  A  S  X  F  I  Y  T  Q  Y  F  I
U  C  V  H  J  O  C  N  O  C  N  I  F  Z  L  P
G  R  L  I  R  T  E  A  O  I  S  C  K  A  R  V
R  U  M  F  X  O  S  A  T  W  M  H  E  U  O  Z
B  M  Y  P  I  T  L  S  A  I  F  V  C  P  R  K
Q  P  B  C  C  V  E  A  N  S  O  L  G  R  I  T
M  T  T  N  O  Z  I  H  G  R  A  N  A  F  C  E
Q  I  Y  A  L  M  G  U  L  U  K  S  H  K  E  O
U  O  U  K  D  N  H  C  U  R  N  T  T  A  E  S
Q  U  I  N  C  E  P  I  E  M  I  F  K  I  A  T
A  S  F  B  V  J  A  U  Y  D  Z  T  G  F  H  C
O  G  Y  U  A  M  X  H  Q  T  F  Q  U  H  O  Y
R  R  F  C  J  Q  U  E  A  L  W  Q  J  A  O  H
Q  Q  A  M  D  L  U  C  H  D  P  D  X  L  L  F
```

HUGS	HYMNS
QUINCE PIE	SCRUMPTIOUS
COLD	FROSTY
MINCE PIE	RITUAL
SLEIGH	SNOWFLAKE
VACATION	

Christmas 19

```
F  S  H  T  H  U  G  Z  E  D  Q  I  M  M  X  K
E  H  C  V  F  V  Y  D  X  M  M  D  T  A  A  P
S  U  G  E  H  P  I  H  Q  O  O  E  U  U  S  P
O  V  D  H  P  T  N  N  P  G  F  C  E  F  D  K
R  C  P  S  E  C  E  R  W  B  G  R  G  W  A  I
N  K  L  L  I  X  A  Q  J  T  A  T  B  K  J  N
A  C  U  R  I  L  O  N  C  Y  X  D  K  A  G  G
M  Y  M  V  J  J  V  G  D  V  U  I  D  R  R  W
E  N  P  M  I  F  O  E  W  Y  S  M  R  A  E  E
N  U  U  Q  N  V  W  Y  R  V  C  W  G  M  E  N
T  W  D  F  I  T  O  O  F  B  Z  A  V  U  T  C
S  C  D  H  C  F  E  O  N  U  E  B  N  K  I  E
Y  X  I  Y  E  G  D  D  B  D  L  L  S  E  N  S
E  E  N  E  E  J  M  X  A  N  E  Q  L  J  G  L
X  M  G  C  O  A  L  V  O  G  U  R  P  S  S  A
U  Z  I  F  L  O  X  O  I  E  U  M  M  S  F  S
```

KARAMU	KING WENCESLAS
SILVER BELLS	VIXEN
CANDY CANE	COAL
GREETINGS	JOYFUL
NICE	ORNAMENTS
PLUM PUDDING	WONDER
YULETIDE	

Christmas 20

C A C K Z L C U I W N G N D G Q
H W K A R E U N I O N O S R G O
R K R W H Z E V A Y I Y O S P N
I G H T A G B P R T K W C A T S
S X U R O N C N A H T Q V V X S
T P L O T D Z I S U N S N I N I
M B R X S L C A E K X T P O N E
A C O H I E U Y A A A K I R A N
S B C A R M C R U Q R T E L B Z
F Y M P W F Q Q L W A O J O B N
U I P W T S Z K D R Z D M C I A
T A L N M O C X E D J G E A G Z
U C I W D G E N Z V U T W B G O
R W S P J W E G R E E N E R Y I
E J T A U G E N T K T C F H I T
D U N D E R S T A N D I N G U O

APPRECIATION   AROMA
CHRISTMAS FUTURE   GENERATIONS
GREENERY   KWANZAA
MAIL   SAVIOR
SCROOGE   UNDERSTANDING
BOX   LIST
REUNION

Christmas 21

```
N B D G S T O C K I N G S C H Q
X G T O Y S I E B C X R B C S B
K I Y M N X Q Z C H J A U H H X
S N J Z O N P S H R K X C I E H
A G S O M H E O C I H I H L P M
X E K N Y E J R O S Q Y E L H U
M R R B O E P G K T P X D O E U
N B O C F W U K U M F Q E G R N
R R L D T B M X D A R S N J D L
L E L U F Q H A N S O A O L R F
O A P C T D Z S N O S I E C O P
G D Q I L G N D G D E D L E V U
O M C O G S R A W N R L T N K G
E A G V X C F O N H A T M E B A
T N E N T E R T A I N M E N T K
I U K X X C E A K S X O W U H I
```

BUCHE DE NOEL   CHRISTMAS
CROWDS   DONNER
ENTERTAINMENT   JOYEUX NOEL
SHEPHERD   STOCKINGS
CHILL   GINGERBREAD MAN
GOLD   GOOSE
SNOWMAN

Christmas 22

X E X S M X R B E L F T S F N F
N X T W I N K L I N G P E S Y S
N F V K X Y V G D Q E M S K B G
R C S W I V B C H O C O L A T E
E H A S F O X W B D W O G F D E
C R N E A A N Z X E E U B R W K
H I T F I I W K I R O Q N P W Y
I S A W T F D P Y C A N D L E E
L T C K H V N N M C L Z G I T A
L M L P R J A Z G P G U B U J E
Y A A K Q H I J M G A L C M Y E
M S U M P B P Y L S Y R O G I J
K T S I Z B A O N F R E A Q O Y
V R P Y B L U S T E R Y W D R R
D E V S Z J V D T L A B O H E H
E E R E L A T I O N S H I P Y J

CHOCOLATE   CHRISTMAS TREE
EPIPHANY   FAITH
RELATIONSHIP   SANTA CLAUS
TWINKLING   BLUSTERY
CANDLE   CHILLY
ELF   PARADE
PIE

Christmas 23

```
N  P  G  I  S  T  O  C  K  I  N  G  V  A  F  E
S  N  S  H  W  Y  L  Y  Y  C  C  S  M  S  D  X
S  W  O  N  D  E  R  L  A  N  D  G  N  U  T  I
D  Q  Z  K  K  D  O  S  T  C  N  O  T  U  B  J
O  C  C  A  S  I  O  N  Y  I  I  I  U  B  Q  E
M  W  A  L  N  U  T  S  R  T  T  U  U  M  M  J
G  H  N  R  V  U  U  A  U  A  Y  U  Z  T  X  A
N  P  T  M  B  U  H  L  R  B  A  Y  F  G  T  C
J  U  O  J  B  S  O  G  S  P  I  R  I  T  L  K
Y  Y  B  F  N  S  V  V  P  J  H  N  B  E  L  F
P  L  O  F  E  B  G  G  N  R  H  R  D  E  Z  R
W  V  G  R  H  E  H  J  S  Q  V  I  B  O  T  O
L  Q  G  O  G  A  S  S  H  W  E  O  B  A  L  S
B  J  A  W  G  U  L  Q  U  R  U  U  M  L  H  T
E  Y  N  Z  O  T  O  G  D  N  K  L  R  J  N  K
R  P  O  Q  E  Y  C  E  L  E  B  R  A  T  E  I
```

BEAUTY	DREIDEL
GRATITUDE	JACK FROST
RESOLUTIONS,	SHARING
WALNUTS	WONDERLAND
CELEBRATE	OCCASION
SPIRIT	STOCKING
TOBOGGAN	

Christmas 24

```
F  A  M  I  L  Y  R  E  U  N  I  O  N  Y  N  S
Q  B  W  G  I  N  G  E  R  B  R  E  A  D  I  D
C  H  I  O  D  L  N  V  N  V  L  N  X  Q  N  J
O  B  T  H  R  J  V  X  M  S  F  C  B  H  V  H
M  G  S  O  C  K  V  Z  C  P  W  P  U  W  I  D
P  U  U  M  O  A  S  X  D  S  U  Q  F  E  T  N
A  H  F  E  I  H  R  H  U  B  E  Y  F  V  A  M
N  I  Y  W  T  X  Y  O  O  R  M  Z  E  B  T  P
I  N  D  A  R  W  I  K  L  P  Q  R  T  F  I  W
O  S  H  R  D  G  M  I  X  S  M  A  H  O  O  K
N  G  Z  D  I  L  T  T  E  Y  Y  Y  S  N  N  Q
S  H  W  L  J  Y  D  Q  U  U  N  Y  T  W  S  G
H  B  E  M  O  F  L  X  O  R  J  N  E  H  L  T
I  R  J  V  G  M  O  G  R  K  K  S  U  L  S  X
P  Z  F  R  J  B  N  G  N  C  G  E  L  W  E  G
K  S  P  B  S  H  O  P  P  I  N  G  Y  U  U  Y
```

BUFFET	COMPANIONSHIP
HOMEWARD	INVITATIONS
MYTHS	RELIGIOUS
CAROLS	FAMILY REUNION
GINGERBREAD	SHOPPING
TURKEY	WORKSHOP

Christmas 25

```
A C O L M P T R A D I T I O N D
O M I J K I O K D N W F U J N V
B P U N C A R O L E R S Z I Y T
K E I R N F G N L C Z V O V A V
U H A N A Y W I N T R Y T A S S
Z A S G E P Q T K S K H R D L B
O R S A N T C H U B S A H L O F
I D E T M K R G T E M G A T Z Y
F S M H E K V E N O C F L M H Z
U A B E I E E O E Y W Q A I W U
F U L R G I C S T O R U P Z B D
J C E B P E F I N K R T G N Z B
S E M A N M R S R F R F Z G M K
F R C I J A H I J E V E E B N Z
S E P M H R E L A T I V E S G O
O P I C D Q G Q X M H M P S S Y
```

ASSEMBLE	GATHER
HARD SAUCE	INN
RELATIVES	CAROLERS
CHARITY	EVE
PINE TREE	PINECONE
SNOWFALL	TRADITION
WINTRY	

Christmas 26

```
T  L  M  W  K  G  V  J  D  Z  J  A  A  D  I  X
N  Q  Z  P  A  L  O  B  D  D  C  U  U  V  G  I
S  R  M  E  S  G  P  R  I  V  Y  V  T  K  N  C
A  I  L  L  U  M  I  N  A  T  I  O  N  W  E  E
K  P  A  R  T  Y  J  J  D  R  A  I  G  O  G  S
F  Q  L  T  N  L  H  Y  Z  S  W  N  D  T  S  K
P  Q  J  V  A  S  P  A  W  T  B  S  J  H  E  A
Q  Z  N  D  H  H  K  L  L  J  E  A  N  A  Y  T
H  N  H  R  E  C  E  I  V  E  L  X  O  N  O  E
U  M  C  Q  U  O  F  M  A  N  L  C  C  K  X  S
D  W  I  S  H  B  N  W  B  P  S  C  T  F  Y  C
B  I  D  E  T  V  Q  Y  K  N  S  B  U  U  L  C
F  N  O  S  T  A  L  G  I  A  H  U  R  L  I  T
T  Y  Z  B  E  L  O  N  G  I  N  G  N  E  Z  L
T  E  F  U  K  I  N  A  R  A  V  E  A  K  W  U
V  Z  E  L  Z  N  N  E  G  O  X  T  L  U  O  M
```

BELONGING	ILLUMINATION
KINARA	NOCTURNAL
NOSTALGIA	THANKFUL
BELLS	ICE SKATES
IVY	PARTY
RECEIVE	WISH

Christmas 27

BOXING DAY
MENORAH
SANCTUARY
BLIZZARD
FIR
NIPPY
SWEATER

JACK-IN-THE-BOX
PUNCH
SANTA'S LIST
EXCHANGE
GINGERBREAD HOUSE
PARTRIDGE

Christmas 28

E S D W S Y I P E V P N Y G X M
A Q A Z U N R N T C B H M H G E
Q C N N A G O O N C F U T D M A
L W X O T D H W I O I N A D Z T
C X B X S A V A B R C D S C S A
W M H G Q I S E N O E E T P N
K O G B Y S L H N U U I N R B D
L M T S R C N Q E T K N U C I S
D U D K A O F M U L P K D T E P
A S B R A J G R O U P S A D H I
S Y I R Q H U R K V T E E H O C
H M H D G E L D U D T R R E Z E
E B H F Y C P S Q Q C J X S H S
R O P X J S N V D A L B I I M Y
H L F C U F U X S S M X L H Q L
J S L E I G H B E L L S O E K Y

ADVENT   DASHER
GROUPS   HANUKKAH
INNOCENCE   MEAT AND SPICES
MIRACLE   SACRED
SANTA'S HELPERS   SYMBOL
CIDER   SLEIGH BELLS
SNOWBOUND

Christmas 29

```
V R E M I N I S C E N C E R S O
T H D E C O R A T E E G V Y Y J
R M Q Z M I N C E M E A T Y G A
P P H O G O E V D M F S C V C L
Y F F I T L E Q N N P Y O M F L
U Q C A R O L I N G E A M T O W
K E M D A X D O Q T B E F R M P
I G V K K O D K K J G T O H Y Z
P I M A J E S T Y U R Z R W L Z
R Q H A O V Z I F A S G T D F B
E B U E N B K E K Q O I T N Z A
S T I H S T R D V Y O A B V Y A
E Z U Q V Q L R M B W R M T E H
N E G Y M Q T E M K Z K U L D P
T L N O R T H S T A R E T U O G
S E G L E C W T Y Y E G T D Z I
```

COMFORT
MANTLE
REFUGE
CAROLING
NORTH STAR

MAJESTY
MINCEMEAT
REMINISCENCE
DECORATE
PRESENTS

Christmas 1 - Solution

```
C H O L I D A Y E R N I L V J H
H S Y M B O L I S M G H X M B R
R D R U G L S E X Q I I A O W C
I B Z H T K V C V Q R H A T R H
S L K Z O O Z D T G I E B I B R
T J N G L M Y A N X I J B G L I
M G V N E E I A K I H N V I I S
A T B T O S F E O M K N F P T T
S K I U O F A O C Z D U I M Z M
C A X N U H C G R E E N S K E A
A E V T Y Y S S J H L M Z N N S
R L S D K T U H N S J S R X S T
O G N F M Q I V T G W E D R X I
L M L B K K I M Y I I H G E L D
Q J Q S O G H A R B O W K E L E
M M K I C L Y E H F Z J G V V P
```

Christmas 2 - Solution

```
O E D D Q B O F C B J X X S I P
Y A G O O D W I L L R H Q C M S
U S A D E S T E F I D E L E S C
H N J U P H O P E J D N A Z M T
H K I B A R L E W N W T G K G J
R Y M V G T E I K B S J O T G Y
Q V D M E U I D G L C Q Z O C M
Y A L T A R J N E H H V L E P
J I Q I N L S M S O T E E O D R
O U Z L T A A D E L I V D P I
F X V T R C X N L U L Z N U Y E
X H D U Y H Q U Y K D X M G P S
M U Y O X K P T K I V L Z M F T
M C Y W C W S L X H O F F L S
O M V I E R I C O M E T H S D G
J A C Z Y W X X S X W P S R J R
```

Christmas 3 - Solution

```
A C H R I S T M A S E V E A V G
I R M U U I F F X A G S Q G L A
G E I Z I T T R Y Q X M A S S D
X A T L E O S T U W K K D W P V
F J T Y H T Z M R I R U E U H E
Q N E G X O X P L I T E Y R P N
F U N Z S L Z O T Y M C A A P T
N H S M I D N I G H T M A T J C
D E C E M B E R P L F A I K H A
P I Q A G Y A N I R H N C N E L
J S X V O F B A W R I D S S G E
F G N N Y D S O P X B D S V Y N
G G K U P S N A V S D E E B L D
P S N Q A A W D I B X V S X D A A
L Y L W B I C D Q X E L G C U R
A M U X G Y M U S I C B O X A G
```

Christmas 4 - Solution

```
Q Q M E P F C V A Q H V V A L X
J N E P R H T T X E U R I F N J
W I C W X E Q U B V T Q I C M
M A X O C V A H X T J Y L H X
I M G R H T M R E J U E G R C
H V F S I A Q S T Q T P S I H
U W T H Q L P N G J I Q G C S R
E X D I D I P O S R T P E T I
D M V P X O Q Y I E G B P N M S
F T M P U Z V K S S H P T A T I
E E Q D G R E E N O X N U S S I
A K R S L H X B D C Q L F C A
U G C V A W H C C K S T U O A N
Q O N K O U H Y O S K X L H R
S H N E A R C Z V Z S T A R D P
E D P Y X T N E F L G M U C F O
```

Christmas 5 - Solution

```
Q  J  Y  U  I  J  Q  J  X  R  B  S  A  M  E  O
X  G  L  L  A  K  A  R  L  C  K  U  K  S  D  P
B  H  D  T  W  A  E  M  O  T  G  R  N  A  W  O
L  N  A  U  A  G  C  K  S  D  Z  P  F  N  R  P
G  B  Y  B  N  D  N  E  E  M  P  R  E  T  A  C
N  J  M  A  T  Q  U  L  U  H  A  I  L  A  P  O
O  G  M  Q  Q  G  S  O  G  P  G  S  I  S  P  R
R  R  I  X  P  E  Y  U  B  Z  E  E  Z  W  I  N
T  A  K  V  E  C  O  X  Z  R  A  S  N  O  N  S
H  V  L  J  M  B  H  V  A  L  N  O  A  R  G  T
P  Y  I  K  S  K  F  D  U  I  T  I  V  K  P  R
O  W  K  C  W  T  Z  D  H  G  I  V  I  S  A  I
L  P  J  C  O  I  R  H  L  H  Y  V  D  H  P  N
E  Q  R  W  J  Y  J  G  N  T  S  P  A  O  E  G
V  B  U  A  X  F  J  N  S  R  D  D  P  R  R
I  A  C  B  B  E  D  G  D  F  W  T  C  Y  L  U
```

Christmas 6 - Solution

```
B  Y  D  U  L  L  Y  H  Z  X  P  I  I  Y  N  G
P  S  U  G  A  R  P  L  U  M  P  Q  S  I  X  T
H  W  W  N  Y  L  Y  M  K  R  A  M  P  U  S  H
O  W  R  I  O  O  F  V  M  X  G  W  P  C  J  O
T  T  Q  D  T  B  O  P  F  H  R  J  Q  H  U  T
C  U  U  Z  J  C  N  N  Q  R  Y  H  H  I  Y  C
I  R  K  E  O  T  B  F  U  D  G  Y  Y  I  J  H
D  U  C  L  J  B  J  E  N  D  I  L  V  E  T  O
E  Y  S  C  A  P  F  A  T  C  X  S  A  K  L  C
R  P  Q  O  B  R  C  A  H  A  L  L  K  T  O
Y  I  P  S  G  N  V  M  B  L  R  N  M  D  L  A
H  N  K  K  N  W  D  M  C  I  B  E  I  X  D  A
G  N  O  I  K  A  T  Y  N  C  L  C  H  N  B  T
H  L  R  J  R  J  S  A  D  O  F  Y  C  E  G  E
Z  T  V  T  F  R  V  F  C  F  L  J  U  Z  M  D
M  H  R  S  A  I  N  T  N  I  C  H  O  L  A  S
```

Christmas 7 - Solution

```
G  I  N  G  E  R  B  R  E  A  D  W  O  M  A  N
C  F  R  I  E  N  D  S  V  C  O  V  B  S  Y  A
P  X  Y  J  A  P  F  D  U  Q  N  K  A  N  S  F
W  A  O  L  G  P  O  E  Q  L  Y  B  O  V  G  I
G  J  W  N  R  S  Z  G  S  D  M  M  H  L  N  R
X  H  N  D  F  N  E  N  L  T  E  E  I  R  E
J  U  O  W  K  M  G  X  B  R  I  O  Z  P  D  W
U  V  W  L  T  F  S  E  A  N  V  M  A  Q  O
Q  Y  N  U  L  W  G  C  B  U  K  O  A  M  U  O
J  O  N  R  N  Y  N  C  A  N  P  I  G  L  I  D
T  R  R  M  L  A  S  U  V  Y  N  J  N  E  J  Z
Q  N  Y  N  R  S  P  I  C  E  S  F  O  G  S  N
O  H  J  P  I  V  O  K  M  X  I  P  L  G  K  R
L  F  A  T  H  E  R  C  H  R  I  S  T  M  A  S
X  O  D  X  V  L  O  C  R  E  C  H  E  J  J  W
T  Y  I  F  M  F  P  P  A  U  E  M  H  W  W  D
```

Christmas 8 - Solution

```
P  M  Q  M  K  Q  Y  Q  R  K  R  T  Y  D  R  G
T  B  V  U  X  F  A  T  F  B  W  G  N  Z  L  C
Z  D  A  N  C  E  R  T  I  R  K  X  Y  E  G  E
L  H  B  Y  I  G  Y  O  S  J  U  A  G  T  E  L
I  W  I  S  H  E  S  G  H  J  B  N  I  T  S  E
O  P  C  H  N  H  N  E  O  Q  A  X  P  I  O  B
Z  B  V  R  S  E  J  T  P  L  S  R  L  D  L  R
A  V  U  K  V  P  A  H  P  Z  U  X  I  I  A  T
R  O  F  O  H  Q  Z  E  I  S  B  P  Z  N  W  I
J  B  B  W  C  V  F  R  N  N  T  E  L  G  M  I
L  V  I  W  L  G  O  N  G  S  Y  N  Y  S  D  O
A  J  R  U  L  L  H  E  Y  S  H  A  I  Q  A  N
N  Z  T  R  C  A  H  S  J  R  U  Y  D  C  F  W
V  A  H  Q  K  X  E  S  R  X  B  B  Y  K  I
K  U  N  W  R  A  P  Y  N  S  K  E  C  F  W  H
H  Y  A  D  N  C  M  B  W  R  D  L  E  B  W  E
```

Christmas 9 - Solution

Found words: CROWNING, MUSICAL, MESSAGES, SECRETSANTA, STOCKINGSTUFFER, REFLECTION, CULTURE, SCULPTURE

Christmas 10 - Solution

Found words: PRAYER, LOG, HEAVENLY, WRAP, REINDEER, WINTERTIME, OFFICEPARTY, DONATION, CHURCH

Christmas 11 - Solution

Found words: EGGNOG, INFANT, JINGLEBELLS, GHASTNELVES, HUG

Christmas 12 - Solution

Found words: SNOW, VOLUNTEER, REJOICE, COMMUNITY, SNOWBALL, LITTLEDRUMMERBOY, CANDY

Christmas 13 - Solution

Solution words found: **KRIS KRINGLE**, **FRANKINCENSE**, **GOURMET**, **DANCING**, **GRINCH**, **WISEMEN**, **TREE**

Christmas 14 - Solution

Solution words found: **GRACE**, **CATALYST**, **CHRISTMAS PAST**

Christmas 15 - Solution

Solution words found: **OBSERVANCE**, **MERRY**, **MISTLETOE**, **JESUS**, **HOSTESS**, **CHESTNUTS**

Christmas 16 - Solution

Solution words found: **HERITAGE**, **BOOTS**, **CHILDREN**

Christmas 17 - Solution

```
R  P  A  P  F  H  L  A  U  G  H  T  E  R  Q  J
E  S  U  N  Q  Q  R  O  T  S  S  E  A  S  O  N
J  V  T  M  K  G  E  S  I  G  C  A  T  M  V  X
W  B  A  P  L  H  O  T  I  T  Y  P  E  D  T
A  C  U  P  R  K  A  F  A  A  M  H  P  R  P  B
U  B  A  M  M  O  I  D  J  L  B  B  F  R  L  C
D  U  C  K  I  P  F  N  J  F  Z  L  A  Y  D  H
W  K  W  U  B  L  U  D  P  F  R  K  E  C  P  N
D  K  N  H  X  Z  I  R  A  I  K  R  E  H  D  P
Q  Q  Z  C  D  T  O  T  I  V  E  R  G  R  V  X
K  H  G  X  F  X  O  T  Y  T  I  Z  P  I  X
V  Z  Q  O  S  G  Z  V  R  I  Y  D  Z  S  B  T
R  G  H  S  O  R  M  D  D  I  A  D  Y  T  W  R
F  S  Y  H  X  P  W  Y  X  P  O  C  M  J  T
Y  C  O  B  O  G  E  J  Z  H  J  S  K  A  C  G
S  P  E  W  O  R  S  H  I  P  E  R  W  S  F  K
```

Christmas 18 - Solution

```
H  F  F  H  P  F  A  F  Y  U  Z  E  P  U  E  Q
V  N  C  S  V  U  A  T  M  A  I  F  O  R  D  Q
T  S  S  E  A  S  A  X  F  I  Y  T  Q  Y  F  I
U  C  V  H  J  O  C  N  O  C  N  I  F  Z  L  P
G  R  L  I  R  T  E  A  O  I  S  C  K  A  R  V
R  U  M  F  X  O  S  A  T  W  M  H  E  U  O  Z
B  M  Y  P  I  T  L  S  A  I  F  V  C  P  R  K
Q  P  B  C  C  V  E  A  N  S  O  L  G  R  I  T
M  T  T  N  O  Z  I  H  G  R  A  N  A  F  C  E
Q  I  Y  A  L  M  G  U  L  U  K  S  H  K  E  O
U  O  U  K  D  N  H  C  U  R  N  T  T  A  E  S
Q  U  I  N  C  E  P  I  E  M  I  F  K  I  A  T
A  S  F  B  V  J  A  U  Y  D  Z  T  G  F  H  C
O  G  Y  U  A  M  X  H  Q  T  F  Q  U  H  O  Y
R  R  F  C  J  Q  U  E  A  L  W  Q  J  A  O  H
Q  Q  A  M  D  L  U  C  H  D  P  D  X  L  L  F
```

Christmas 19 - Solution

```
F  S  H  T  H  U  G  Z  E  D  Q  I  M  M  X  K
E  H  C  V  F  V  Y  D  X  M  M  D  T  A  A  P
S  U  G  E  H  P  I  H  Q  O  O  E  U  U  S  P
O  V  D  H  P  T  N  N  P  G  F  C  E  F  D  K
R  C  P  S  E  C  E  R  W  B  G  R  G  W  A  I
N  L  L  I  X  A  Q  J  T  A  T  B  K  J  N
A  C  U  R  I  L  O  N  C  Y  X  D  K  A  G  G
M  Y  M  V  J  J  V  G  D  V  U  I  D  R  R  W
E  N  P  M  I  F  O  E  W  Y  S  M  R  A  E  E
N  U  U  Q  N  W  Y  R  V  C  W  G  M  E  N
T  W  D  F  I  T  O  O  F  B  Z  A  V  U  T  C
S  C  D  H  C  F  E  N  U  E  B  N  K  I  E
Y  X  I  Y  E  G  D  D  B  L  L  S  E  N  S
E  E  N  E  E  J  M  X  A  N  E  Q  L  J  G  L
X  M  G  C  O  A  L  V  O  G  U  R  P  S  S  A
U  Z  I  F  L  O  X  O  I  E  U  M  M  S  F  S
```

Christmas 20 - Solution

```
C  A  C  K  Z  L  C  U  I  W  N  G  N  D  G  Q
H  W  K  A  R  E  U  N  I  O  N  O  S  R  G  O
R  K  R  W  H  Z  E  V  A  Y  I  Y  S  P  N
I  G  H  T  A  G  B  P  R  T  K  W  C  A  T  S
S  X  U  R  O  N  C  N  A  H  T  Q  V  V  X  S
T  P  L  O  T  D  Z  I  S  U  N  S  N  I  N
M  B  R  X  S  L  C  A  E  K  X  T  P  O  N  E
A  C  O  H  I  E  U  Y  A  A  A  K  I  R  A  N
S  B  C  A  R  M  C  R  U  Q  R  T  E  L  B  Z
F  Y  M  P  W  F  Q  O  L  W  A  O  J  O  B  N
U  I  P  W  T  S  Z  K  R  Z  D  M  C  I  A
T  A  L  N  M  O  C  X  E  D  J  G  E  A  G  Z
U  C  I  W  D  G  E  N  Z  V  U  T  W  B  G  O
R  W  S  P  J  W  E  G  R  E  E  N  E  R  Y  I
E  J  T  A  U  G  E  N  T  K  T  C  F  H  I  T
D  U  N  D  E  R  S  T  A  N  D  I  N  G  U  O
```

Christmas 21 - Solution

Solution words found: STOCKINGS, ENTERTAINMENT

Christmas 22 - Solution

Solution words found: ELF, TWINKLING, CHOCOLATE, CANDLE, BLUSTERY, RELATIONSHIP

Christmas 23 - Solution

Solution words found: STOCKING, WONDERLAND, OCCASION, WALNUTS, SPIRIT, CELEBRATE

Christmas 24 - Solution

Solution words found: FAMILY REUNION, GINGERBREAD, SHOPPING

Christmas 25 - Solution

TRADITION
CAROLERS
WINTRY
RELATIVES

Christmas 26 - Solution

IVY
ILLUMINATION
PARTY
RECEIVE
WISH
NOSTALGIA
BELONGING
KINARA

Christmas 27 - Solution

BLIZZARD
MENORAH
PUNCH
GINGERBREADHOUSE

Christmas 28 - Solution

GROUP
SLEIGHBELLS

Christmas 29 - Solution

```
V  R E M I N I S C E N C E  R  S  O
T  H  D E C O R A T E  E  G  V  Y  Y  J
R  M  Q  Z  M I N C E M E A T  Y  G  A
P  P  H  O  G  O  E  V  D  M  F  S  C  V  C  L
Y  F  F  I  T  L  E  Q  N  N  P  Y  O  M  F  L
U  Q  C A R O L I N G  E  A  M  T  O  W
K  E  M  D  A  X  D  Q  T  B  E  F  R  M  P
I  G  V  K  K  O  D  K  K  J  G  T  O  H  Y  Z
P  I  M A J E S T Y  U  R  Z  R  W  L  Z
R  Q  H  A  O  V  Z  I  F  A  S  G  T  D  F  B
E  B  U  E  N  B  K  E  K  Q  O  I  T  N  Z  A
S  T  I  H  S  T  R  D  V  Y  O  A  B  V  Y  A
E  Z  U  Q  V  Q  L  R  M  B  W  R  M  T  E  H
N  E  G  Y  M  O  T  E  M  K  Z  K  U  L  D  P
T  L  N O R T H S T A R  E  T  U  O  G
S  E  G  L  E  C  W  T  Y  Y  E  G  T  D  Z  I
```

The END